Le valentin de Winnie l'Ourson

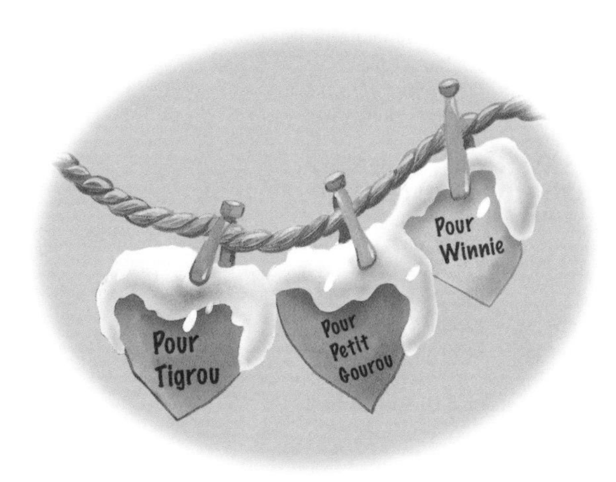

PRESSES AVENTURE

Paru sous le titre original de : *Pooh's Valentine*
Ce livre est une production de Random House, Inc.

Publié par **PRESSES AVENTURE,** une division de
LES PUBLICATIONS MODUS VIVENDI INC.
55, rue Jean-Talon Ouest, 2e étage
Montréal (Québec)
Canada H2R 2W8

Dépôt légal – Bibliothèque et Archives nationales du Québec, 2008
Dépôt légal – Bibliothèque et Archives Canada, 2008

Traduit de l'anglais par : Catherine Girard-Audet

ISBN-13 : 978-2-89543-805-2

Nous reconnaissons l'aide financière du gouvernement du Canada par l'entremise du Programme d'aide au développement de l'industrie de l'édition (PADIÉ) pour nos activités d'édition.

Gouvernement du Québec — Programme de crédit d'impôt pour l'édition de livres — Gestion SODEC

Imprimé au Canada

Le valentin de Winnie l'Ourson

par Isabel Gaines
illustré par Mark Marderosian
et Paul Lopez

C’est le jour de la Saint-Valentin dans la forêt des Cent Acres.

Tout le monde est excité.

« Je vais confectionner des cartes pour vous tous », dit Winnie.

« Allons <u>tous</u> faire des cartes de Saint-Valentin », dit Coco Lapin.

« Bonne idée »,
dit Petit Gourou.
« Nous les distribuerons lors
de la fête », ajoute Maman
Gourou.

Tous les amis rentrent chez eux se préparer pour la fête.

Winnie a faim.

Il prend une collation.

Puis Winnie fait tout un gâchis en découpant ses cartes.

« Oh non », dit Winnie.
Ses cartes sont sales et
toutes collantes.

Maître Hibou confectionne des cartes pour tous ses amis. Il les fait sécher à l'extérieur.

Il se met à neiger.

Ses cartes sont mouillées

et tachées.

Porcinet fait lui aussi des cartes de Saint-Valentin.
Il doit traverser les bois en transportant ses cartes.

Soudain, Porcinet

sursaute et lâche

toutes ses cartes.

Tigrou est en train
de fabriquer ses cartes,
mais il est très maladroit.

Il préfère aller bondir

à l'extérieur.

Ce soir-là, les amis assistent à la fête. Certains d'entre eux offrent des cartes.

D'autres en reçoivent.

Ils mangent, ils chantent
et ils rient.

Puis les amis vont faire du patin à glace, mais ils aperçoivent quelque chose d'étrange.

Pour
Petit
Gourou

Les cartes de Porcinet
sont prises dans la glace.
« Merci pour les cartes »,
dit Winnie.

Pour
Petit
Gourou

Tous commencent à patiner. Ils forment des cœurs sur la glace.

Au printemps, la glace fond. Les amis célèbrent de nouveau la Saint-Valentin grâce aux cartes de Porcinet.

Pour
Tigrou

C’est maintenant à ton tour de confectionner une carte pour un être cher.